CH00664002

Pierre
Corneille

# Cinna
## ou
## la Clémence
## d'Auguste

copyright © 2023 Les prairies numeriques
text and cover : © public domain
Contact : infos@culturea.fr
ISBN : 979-10-418-2122-8
Legal deposit : July 2023
All rights reserved

# Personnages

**OCTAVE-CÉSAR AUGUSTE** : empereur de Rome.
**LIVIE** : impératrice.
**CINNA** : fils d'une fille de Pompée, chef de la conjuration contre Auguste.
**MAXIME** : autre chef de la conjuration.
**ÉMILIE** : fille de C. Toranius, tuteur d'Auguste, et proscrit par lui durant le Triumvirat.
**FULVIE** : confidente d'Émilie.
**POLYCLÈTE** : affranchi d'Auguste.
**ÉVANDRE** : affranchi de Cinna.
**EUPHORBE** : affranchi de Maxime.

La scène est à Rome.

# Acte premier

## Scène première

### ÉMILIE

Impatients désirs d'une illustre vengeance
Dont la mort de mon père a formé la naissance,
Enfants impétueux de mon ressentiment,
Que ma douleur séduite embrasse aveuglément,
Vous prenez sur mon âme un trop puissant empire
Durant quelques moments souffrez que je respire
Et que je considère, en l'état où je suis,
Et ce que je hasarde et ce que je poursuis.
Quand je regarde Auguste au milieu de sa gloire,
Et que vous reprochez à ma triste mémoire
Que, par sa propre main mon père massacré,
Du trône où je le vois, fait le premier degré ;
Quand vous me présentez cette sanglante image,
La cause de ma haine et l'effet de sa rage,
Je m'abandonne toute à vos ardents transports,
Et crois pour une mort lui devoir mille morts.
Au milieu toutefois d'une fureur si juste,
J'aime encor plus Cinna que je ne hais Auguste,
Et je sens refroidir ce bouillant mouvement
Quand il faut, pour le suivre, exposer mon amant.
Oui, Cinna, contre moi moi-même je m'irrite,
Quand je songe aux dangers où je te précipite.
Quoique pour me servir tu n'appréhendes rien,
Te demander du sang, c'est exposer le tien.
D'une si haute place on n'abat point de têtes
Sans attirer sur soi mille et mille tempêtes ;
L'issue en est douteuse et le péril certain :
Un ami déloyal peut trahir ton dessein ;
L'ordre mal concerté, l'occasion mal prise,
Peuvent sur son auteur renverser l'entreprise,
Tourner sur toi les coups dont tu le veux frapper,
Dans sa ruine même il peut t'envelopper,

4

Et, quoi qu'en ma faveur ton amour exécute,
Il te peut, en tombant, écraser sous sa chute.
Ah ! cesse de courir à ce mortel danger :
Te perdre en me vengeant, ce n'est pas me venger.
Un cœur est trop cruel quand il trouve des charmes
Aux douceurs que corrompt l'amertume des larmes,
Et l'on doit mettre au rang des plus cuisants malheurs
La mort d'un ennemi qui coûte tant de pleurs —
    Mais peut-on en verser alors qu'on venge un père ?
Est-il perte à ce prix qui ne semble légère,
Et, quand son assassin tombe sous notre effort,
Doit-on considérer ce que coûte sa mort ?
Cessez, vaines frayeurs, cessez, lâches tendresses,
De jeter dans mon cœur vos indignes faiblesses ;
Et toi qui les produits par tes soins superflus,
Amour, sers mon devoir, et ne le combats plus.
Lui céder, c'est ta gloire, et le vaincre, ta honte ;
Montre-toi généreux, souffrant qu'il te surmonte ;
Plus tu lui donneras, plus il te va donner,
Et ne triomphera que pour te couronner.

# Scène II

### Émilie, Fulvie.

#### ÉMILIE

Je l'ai juré, Fulvie, et je le jure encore,
Quoique j'aime Cinna, quoi que mon cœur l'adore,
S'il me veut posséder, Auguste doit périr ;
Sa tête est le seul prix dont il peut m'acquérir ;
Je lui prescris la loi que mon devoir m'impose.

#### FULVIE

Elle a, pour la blâmer, une trop juste cause ;
Par un si grand dessein vous vous faites juger
Digne sang de celui que vous voulez venger ;
Mais encore une fois souffrez que je vous die
Qu'une si juste ardeur devrait être attiédie.
Auguste, chaque jour, à force de bienfaits,
Semble assez réparer les maux qu'il vous a faits ;
Sa faveur envers vous paraît si déclarée
Que vous êtes chez lui la plus considérée,
Et de ses courtisans souvent les plus heureux
Vous pressent à genoux de lui parler pour eux.

#### ÉMILIE

Toute cette faveur ne me rend pas mon père,
Et, de quelque façon que l'on me considère,
Abondante en richesse ou puissante en crédit,
Je demeure toujours la fille d'un proscrit.
Les bienfaits ne font pas toujours ce que tu penses ;
D'une main odieuse, ils tiennent lieu d'offenses ;
Plus nous en prodiguons à qui nous peut haïr,
Plus d'armes nous donnons à qui nous veut trahir.
Il m'en fait, chaque jour, sans changer mon courage ;
Je suis ce que j'étais, et je puis davantage,

Et, des mêmes présents qu'il verse dans mes mains,
J'achète contre lui les esprits des Romains.
Je recevrais de lui la place de Livie
Comme un moyen plus sûr d'attenter à sa vie ;
Pour qui venge son père il n'est point de forfaits,
Et c'est vendre son sang que se rendre aux bienfaits.

### FULVIE

Quel besoin toutefois de passer pour ingrate ?
Ne pouvez-vous haïr sans que la haine éclate ?
Assez d'autres sans vous n'ont pas mis en oubli
Par quelles cruautés son trône est établi ;
Tant de braves Romains, tant d'illustres victimes,
Qu'à son ambition ont immolés ses crimes,
Laissent à leurs enfants d'assez vives douleurs
Pour venger votre perte en vengeant leurs malheurs.
Beaucoup l'ont entrepris, mille autres vont les suivre :
Qui vit haï de tous ne saurait longtemps vivre ;
Remettez à leurs bras les communs intérêts,
Et n'aidez leurs desseins que par des vœux secrets.

### ÉMILIE

Quoi ! je le haïrai sans tâcher de lui nuire ?
J'attendrai du hasard qu'il ose le détruire,
Et je satisferai des devoirs si pressants
Par une haine obscure et des vœux impuissants ?
Sa perte, que je veux, me deviendrait amère
Si quelqu'un l'immolait à d'autres qu'à mon père
Et tu verrais mes pleurs couler pour son trépas,
Qui, le faisant périr, ne me vengerait pas.
    C'est une lâcheté que de remettre à d'autres
Les intérêts publics qui s'attachent aux nôtres.
Joignons à la douceur de venger nos parents
La gloire qu'on remporte à punir les tyrans,
Et faisons publier par toute l'Italie :
*La liberté de Rome est l'œuvre d'Émilie ;*
*On a touché son âme, et son cœur s'est épris ;*
*Mais elle n'a donné son amour qu'à ce prix.*

7

## FULVIE

Votre amour à ce prix n'est qu'un présent funeste
Qui porte à votre amant sa perte manifeste.
Pensez mieux, Émilie, à quoi vous l'exposez,
Combien à cet écueil se sont déjà brisés ;
Ne vous aveuglez point quand sa mort est visible.

## ÉMILIE

Ah ! tu sais me frapper par où je suis sensible !
Quand je songe aux dangers que je lui fais courir,
La crainte de sa mort me fait déjà mourir :
Mon esprit en désordre à soi-même s'oppose,
Je veux et ne veux pas, je m'emporte et je n'ose…
Et mon devoir, confus, languissant, étonné,
Cède aux rébellions de mon cœur mutiné.
  Tout beau, ma passion, deviens un peu moins forte ;
Tu vois bien des hasards, ils sont grands, mais n'importe :
Cinna n'est pas perdu pour être hasardé.
De quelques légions qu'Auguste soit gardé,
Quelque soin qu'il se donne et quelque ordre qu'il tienne,
Qui méprise sa vie est maître de la sienne :
Plus le péril est grand, plus doux en est le fruit ;
La vertu nous y jette, et la gloire le suit.
Quoi qu'il en soit qu'Auguste ou que Cinna périsse,
Aux mânes paternels je dois ce sacrifice ;
Cinna me l'a promis en recevant ma foi,
Et ce coup seul aussi le rend digne de moi.
Il est tard après tout de m'en vouloir dédire :
Aujourd'hui l'on s'assemble, aujourd'hui l'on conspire
L'heure, le lieu, le bras se choisit aujourd'hui,
Et c'est à faire enfin à mourir après lui.

6

# Scène III

## Cinna, Émilie, Fulvie.

### ÉMILIE

Mais le voici qui vient. Cinna, votre assemblée
Par l'effroi du péril n'est-elle point troublée,
Et reconnaissez-vous au front de vos amis
Qu'ils soient prêts à tenir ce qu'ils vous ont promis ?

### CINNA

Jamais contre un tyran, entreprise conçue
Ne permit d'espérer une si belle issue ;
Jamais de telle ardeur on n'en jura la mort,
Et jamais conjurés ne furent mieux d'accord.
Tous s'y montrent portés avec tant d'allégresse
Qu'ils semblent, comme moi, servir une maîtresse,
Et tous font éclater un si puissant courroux
Qu'ils semblent tous venger un père, comme vous.

### ÉMILIE

Je l'avais bien prévu, que pour un tel ouvrage
Cinna saurait choisir des hommes de courage,
Et ne remettrait pas en de mauvaises mains
L'intérêt d'Émilie et celui des Romains.

### CINNA

Plût aux dieux que vous-même eussiez vu de quel zèle
Cette troupe entreprend une action si belle !
Au seul nom de César, d'Auguste et d'empereur,
Vous eussiez vu leurs yeux s'enflammer de fureur,
Et dans un même instant par un effet contraire
Leur front pâlir d'horreur, et rougir de colère.
« Amis, leur ai-je dit, voici le jour heureux
Qui doit conclure enfin nos desseins généreux ;
Le Ciel entre nos mains a mis le sort de Rome,

Et son salut dépend de la perte d'un homme,
Si l'on doit le nom d'homme à qui rien d'humain,
À ce tigre altéré de tout le sang romain.
Combien pour le répandre a-t-il formé de brigues ?
Combien de fois changé de partis et de ligues,
Tantôt ami d'Antoine, et tantôt ennemi,
Et jamais insolent ni cruel à demi ? »
Là, par un long récit de toutes les misères
Que durant notre enfance ont enduré nos pères,
Renouvelant leur haine avec leur souvenir,
Je redouble en leurs cœurs l'ardeur de le punir.
Je leur fais des tableaux de ces tristes batailles
Où Rome par ses mains déchirait ses entrailles,
Où l'aigle abattait l'aigle, et de chaque côté
Nos légions s'armaient contre leur liberté ;
Où les meilleurs soldats et les chefs les plus braves
Mettaient toute leur gloire à devenir esclaves ;
Où, pour mieux assurer la honte de leurs fers,
Tous voulaient à leur chaîne attacher l'univers,
Et, l'exécrable honneur de lui donner un maître
Faisant aimer à tous l'infâme nom de traître,
Romains contre Romains, parents contre parents,
Combattaient seulement pour le choix des tyrans.
    J'ajoute à ces tableaux la peinture effroyable
De leur concorde impie, affreuse, inexorable,
Funeste aux gens de bien, aux riches, au Sénat,
Et, pour tout dire enfin, de leur Triumvirat.
Mais je ne trouve point de couleurs assez noires
Pour en représenter les tragiques histoires.
Je les peins dans le meurtre, à l'envi triomphants,
Rome entière noyée au sein de ses enfants,
Les uns assassinés dans les places publiques,
Les autres dans le sein de leurs dieux domestiques ;
Le méchant par le prix au crime encouragé,
Le mari par sa femme en son lit égorgé,
Le fils tout dégoûtant du meurtre de son père,
Et, sa tête à la main, demandant son salaire,
Sans pouvoir exprimer par tant d'horribles traits
Qu'un crayon imparfait de leur sanglante paix.
    Vous dirai-je les noms de ces grands personnages

Dont j'ai dépeint les morts pour aigrir les courages,
De ces fameux proscrits, ces demi-dieux mortels,
Qu'on a sacrifiés jusque sur les autels ?
Mais pourrais-je vous dire à quelle impatience,
À quels frémissements, à quelle violence,
Ces indignes trépas, quoique mal figurés,
Ont porté les esprits de tous nos conjurés ?
Je n'ai point perdu temps, et, voyant leur colère
Au point de ne rien craindre, en état de tout faire,
J'ajoute en peu de mots : « Toutes ces cruautés,
La perte de nos biens et de nos libertés,
Le ravage des champs, le pillage des villes,
Et les proscriptions, et les guerres civiles,
Sont les degrés sanglants dont Auguste a fait choix
Pour monter dans le trône et nous donner des lois ;
Mais nous pouvons changer un destin si funeste,
Puisque de trois tyrans c'est le seul qui nous reste,
Et que, juste une fois, il s'est privé d'appui,
Perdant pour régner seul, deux méchants comme lui.
Lui mort, nous n'avons point de vengeur ni de maître ;
Avec la liberté Rome s'en va renaître,
Et nous mériterons le nom de vrais Romains
Si le joug qui l'accable est brisé par nos mains.
Prenons l'occasion, tandis qu'elle est propice :
Demain au Capitole il fait un sacrifice,
Qu'il en soit la victime, et faisons en ces lieux
Justice à tout le monde, à la face des dieux.
Là presque pour sa suite il n'a que notre troupe ;
C'est de ma main qu'il prend et l'encens et la coupe,
Et je veux pour signal que cette même main
Lui donne, au lieu d'encens, d'un poignard dans le sein.
Ainsi d'un coup mortel la victime frappée
Fera voir si je suis du sang du grand Pompée.
Faites voir après moi si vous vous souvenez
Des illustres aïeux de qui vous êtes nés. »
À peine ai-je achevé que chacun renouvelle
Par un noble serment le vœu d'être fidèle ;
L'occasion leur plaît, mais chacun veut pour soi
L'honneur du premier coup que j'ai choisi pour moi.
La raison règle enfin l'ardeur qui les emporte ;

9

Maxime et la moitié s'assurent de la porte,
L'autre moitié me suit, et doit l'environner,
Prête au moindre signal que je voudrai donner.
  Voilà, belle Émilie, à quel point nous en sommes ;
Demain, j'attends la haine ou la faveur des hommes,
Le nom de parricide ou de libérateur,
César, celui de prince ou d'un usurpateur.
Du succès qu'on obtient contre la tyrannie
Dépend ou notre gloire ou notre ignominie,
Et le peuple, inégal à l'endroit des tyrans,
S'il les déteste morts, les adore vivants.
Pour moi, soit que le Ciel me soit dur ou propice,
Qu'il m'élève à la gloire ou me livre au supplice,
Que Rome se déclare ou pour ou contre nous,
Mourant pour vous servir, tout me semblera doux.

### ÉMILIE

Ne crains point de succès qui souille ta mémoire ;
Le bon et le mauvais sont égaux pour ta gloire,
Et dans un tel dessein le manque de bonheur
Met en péril ta vie, et non pas ton honneur :
Regarde le malheur de Brute et de Cassie ;
La splendeur de leurs noms en est-elle obscurcie ?
Sont-ils morts tous entiers avec leurs grands desseins ?
Ne les compte-t-on plus pour les derniers Romains ?
Leur mémoire dans Rome est encore précieuse
Autant que de César la vie est odieuse :
Si leur vainqueur y règne, ils y sont regrettés,
Et par les vœux de tous leurs pareils souhaités.
  Va marcher sur leurs pas où l'honneur te convie,
Mais ne perds pas le soin de conserver ta vie.
Souviens-toi du beau feu dont nous sommes épris
Qu'aussi bien que la gloire, Émilie est ton prix,
Que tu me dois ton cœur, que mes faveurs t'attendent,
Que tes jours me sont chers, que les miens en dépendent
Mais quelle occasion mène Évandre vers nous ?

## Scène IV

### Cinna, Émilie, Évandre, Fulvie.

#### ÉVANDRE

Seigneur, César vous mande, et Maxime avec vous.

#### CINNA

Et Maxime avec moi ? Le sais-tu bien Évandre ?

#### ÉVANDRE

Polycète est encor chez vous à vous attendre,
Et fût venu lui-même avec moi vous chercher,
Si ma dextérité n'eût su l'en empêcher.
Je vous en donne avis, de peur d'une surprise.
Il presse fort.

#### ÉMILIE

　　　Mander les chefs de l'entreprise !
Tous deux ! en même temps ! vous êtes découverts.

#### CINNA

Espérons mieux, de grâce.

#### ÉMILIE

　　　Ah ! Cinna, je te perds,
Et les dieux, obstinés à nous donner un maître,
Parmi tes vrais amis ont mêlé quelque traître.
Il n'en faut point douter, Auguste a tout appris ;
Quoi ! tous deux ! et sitôt que le conseil est pris !

#### CINNA

Je ne vous puis celer que son ordre m'étonne,
Mais souvent il m'appelle auprès de sa personne ;

Maxime est comme moi de ses plus confidents,
Et nous nous alarmons peut-être en imprudents.

### ÉMILIE

Sois moins ingénieux à te tromper toi-même,
Cinna, ne porte point mes maux jusqu'à l'extrême,
Et, puisque désormais tu ne peux me venger,
Dérobe au moins ta tête à ce mortel danger ;
Fuis d'Auguste irrité l'implacable colère ;
Je verse assez de pleurs pour la mort de mon père,
N'aigris point ma douleur par un nouveau tourment,
Et ne me réduis point à pleurer mon amant.

### CINNA

Quoi ! sur l'illusion d'une terreur panique
Trahir vos intérêts et la cause publique ?
Par cette lâcheté moi-même m'accuser,
Et tout abandonner quand il faut tout oser ?
Que feront nos amis, si vous êtes déçue ?

### ÉMILIE

Mais que deviendras-tu si l'entreprise est sue ?

### CINNA

S'il est pour me trahir des esprits assez bas,
Ma vertu pour le moins ne me trahira pas.
Vous la verrez brillante au bord des précipices,
Se couronner de gloire en bravant les supplices,
Rendre Auguste jaloux du sang qu'il répandra,
Et le faire trembler, alors qu'il me perdra.
    Je deviendrais suspect à tarder davantage.
Adieu, raffermissez ce généreux courage.
S'il faut subir le coup d'un destin rigoureux,
Je mourrai tout ensemble heureux et malheureux :
Heureux, pour vous servir, de perdre ainsi la vie ;
Malheureux, de mourir sans vous avoir servie.

## ÉMILIE

Oui, va, n'écoute plus ma voix qui te retient,
Mon trouble se dissipe, et ma raison revient ;
Pardonne à mon amour cette indigne faiblesse.
Tu voudrais fuir en vain, Cinna, je le confesse ;
Si tout est découvert, Auguste a su pourvoir
À ne te laisser pas ta fuite en ton pouvoir.
Porte, porte chez lui cette mâle assurance
Digne de notre amour, digne de ta naissance ;
Meurs, s'il y faut mourir, en citoyen romain,
Et par un beau trépas couronne un beau dessein.
Ne crains pas qu'après toi rien ici me retienne :
Ta mort emportera mon âme vers la tienne,
Et mon cœur, aussitôt percé des mêmes coups…

## CINNA

Ah ! souffrez que tout mort je vive encore en vous,
Et du moins en mourant permettez que j'espère
Que vous saurez venger l'amant avec le père.
Rien n'est pour vous à craindre, aucun de nos amis
Ne sait ni vos desseins ni ce qui m'est promis,
Et, leur parlant tantôt des misères romaines,
Je leur ai tu la mort qui fait naître nos haines,
De peur que mon ardeur touchant vos intérêts
D'un si parfait amour ne trahît les secrets.
Il n'est su que d'Évandre et de votre Fulvie.

## ÉMILIE

Avec moins de frayeur je vais donc chez Livie,
Puisque dans ton péril il me reste un moyen
De faire agir pour toi son crédit et le mien.
Mais, si mon amitié par là ne te délivre,
N'espère pas qu'enfin je veuille te survivre :
Je fais de ton destin des règles à mon sort,
Et j'obtiendrai ta vie, ou je suivrai ta mort.

## CINNA

Soyez, en ma faveur, moins cruelle à vous-même.

13

**ÉMILIE**

Va-t'en, et souviens-toi seulement que je t'aime.

FIN DU PREMIER ACTE.

# Acte II

## Scène première

Auguste, Cinna, Maxime, troupe de courtisans.

AUGUSTE

Que chacun se retire, et qu'aucun n'entre ici ;
Vous, Cinna, demeurez, et vous, Maxime, aussi.
*(Tous se retirent, à la réserve de Cinna et de Maxime).*

   Cet empire absolu sur la terre et sur l'onde,
Ce pouvoir souverain que j'ai sur tout le monde,
Cette grandeur sans borne, et cet illustre rang
Qui m'a jadis coûté tant de peine et de sang,
Enfin tout ce qu'adore en ma haute fortune
D'un courtisan flatteur la présence importune,
N'est que de ces beautés dont l'éclat éblouit,
Et qu'on cesse d'aimer sitôt qu'on en jouit.
L'ambition déplaît quand elle est assouvie,
D'une contraire ardeur son ardeur est suivie,
Et, comme notre esprit jusqu'au dernier soupir
Toujours vers quelque objet pousse quelque désir,
Il se ramène en soi, n'ayant plus où se prendre,
Et, monté sur le faîte, il aspire à descendre.
J'ai souhaité l'empire, et j'y suis parvenu ;
Mais, en le souhaitant, je ne l'ai pas connu.
Dans sa possession j'ai trouvé pour tous charmes
D'effroyables soucis, d'éternelles alarmes,
Mille ennemis secrets, la mort à tous propos,
Point de plaisir sans trouble, et jamais de repos.
Sylla m'a précédé dans ce pouvoir suprême,
Le grand César, mon père, en a joui de même :
D'un œil si différent tous deux l'ont regardé
Que l'un s'en est démis, et l'autre l'a gardé :
Mais l'un, cruel, barbare, est mort aimé, tranquille,
Comme un bon citoyen dans le sein de sa ville ;

L'autre, tout débonnaire, au milieu du Sénat,
A vu trancher ses jours par un assassinat.
Ces exemples récents suffiraient pour m'instruire,
Si par l'exemple seul on se devait conduire :
L'un m'invite à le suivre, et l'autre me fait peur ;
Mais l'exemple souvent n'est qu'un miroir trompeur,
Et l'ordre du destin qui gêne nos pensées
N'est pas toujours écrit dans les choses passées.
Quelquefois l'un se brise où l'autre s'est sauvé,
Et, par où l'un périt, un autre est conservé.
   Voilà, mes chers amis, ce qui me met en peine.
Vous qui me tenez lieu d'Agrippe et de Mécène,
Pour résoudre ce point avec eux débattu
Prenez sur mon esprit le pouvoir qu'ils ont eu.
Ne considérez point cette grandeur suprême,
Odieuse aux Romains, et pesante à moi-même ;
Traitez-moi comme ami, non comme souverain.
Rome, Auguste, l'État, tout est en votre main.
Vous mettrez et l'Europe, et l'Asie, et l'Afrique,
Sous les lois d'un monarque ou d'une république ;
Votre avis est ma règle, et, par ce seul moyen,
Je veux être empereur ou simple citoyen.

CINNA

Malgré notre surprise et mon insuffisance,
Je vous obéirai, Seigneur, sans complaisance,
Et mets bas le respect qui pourrait m'empêcher
De combattre un avis où vous semblez pencher.
Souffrez-le d'un esprit jaloux de votre gloire
Que vous allez souiller d'une tache trop noire,
Si vous ouvrez votre âme à ces impressions
Jusques à condamner toutes vos actions.
   On ne renonce point aux grandeurs légitimes,
On garde sans remords ce qu'on acquiert sans crimes,
Et plus le bien qu'on quitte est noble, grand, exquis,
Plus qui l'ose quitter le juge mal acquis.
N'imprimez pas, Seigneur, cette honteuse marque
À ces rares vertus qui vous ont fait monarque ;
Vous l'êtes justement, et c'est sans attentat

Que vous avez changé la forme de l'État.
Rome est dessous vos lois par le droit de la guerre,
Qui sous les lois de Rome a mis toute la terre ;
Vos armes l'ont conquise, et tous les conquérants,
Pour être usurpateurs, ne sont pas des tyrans.
Quand ils ont sous leurs lois asservi des provinces,
Gouvernant justement ils s'en font justes princes :
C'est ce que fit César ; il vous faut aujourd'hui
Condamner sa mémoire, ou faire comme lui.
Si le pouvoir suprême est blâmé par Auguste,
César fut un tyran, et son trépas fut juste,
Et vous devez aux dieux compte de tout le sang
Dont vous l'avez vengé pour monter à son rang.
N'en craignez point, Seigneur, les tristes destinées :
Un plus puissant démon veille sur vos années,
On a dix fois sur vous attenté sans effet,
Et qui l'a voulu perdre au même instant l'a fait.
On entreprend assez, mais aucun n'exécute :
Il est des assassins, mais il n'est plus de Brute ;
Enfin, s'il faut attendre un semblable revers,
Il est beau de mourir maître de l'univers.
C'est ce qu'en peu de mots j'ose dire, et j'estime
Que ce peu que j'ai dit est l'avis de Maxime.

### MAXIME

Oui, j'accorde qu'Auguste a droit de conserver
L'empire où sa vertu l'a fait seule arriver,
Et qu'au prix de son sang, au péril de sa tête,
Il a fait de l'État une juste conquête ;
Mais que, sans se noircir il ne puisse quitter
Le fardeau que sa main est lasse de porter,
Qu'il accuse par là César de tyrannie,
Qu'il approuve sa mort, c'est ce que je dénie.
    Rome est à vous, Seigneur, l'empire est votre bien
Chacun en liberté peut disposer du sien ;
Il le peut à son choix garder, ou s'en défaire.
Vous seul ne pourriez pas ce que peut le vulgaire,
Et seriez devenu, pour avoir tout dompté,
Esclave des grandeurs où vous êtes monté !

19

Possédez-les, Seigneur, sans qu'elles vous possèdent ;
Loin de vous captiver, souffrez qu'elles vous cèdent,
Et faites hautement connaître enfin à tous
Que tout ce qu'elles ont est au-dessous de vous.
Votre Rome autrefois vous donna la naissance,
Vous lui voulez donner votre toute-puissance,
Et Cinna vous impute à crime capital
La libéralité vers le pays natal !
Il appelle remords l'amour de la patrie !
Par la haute vertu la gloire est donc flétrie,
Et ce n'est qu'un objet digne de nos mépris,
Si de ses pleins effets l'infamie est le prix ?
Je veux bien avouer qu'une action si belle
Donne à Rome bien plus que vous ne tenez d'elle ;
Mais commet-on un crime indigne de pardon,
Quand la reconnaissance est au-dessus du don ?
Suivez, suivez, Seigneur, le Ciel qui vous inspire ;
Votre gloire redouble à mépriser l'empire,
Et vous serez fameux chez la postérité
Moins pour l'avoir conquis que pour l'avoir quitté.
Le bonheur peut conduire à la grandeur suprême,
Mais, pour y renoncer, il faut la vertu même.
Et peu de généreux vont jusqu'à dédaigner,
Après un sceptre acquis, la douceur de régner.
    Considérez d'ailleurs que vous régnez dans Rome,
Où, de quelque façon que votre cour vous nomme,
On hait la monarchie, et le nom d'empereur,
Cachant celui de roi, ne fait pas moins d'horreur.
Ils passent, pour tyran quiconque s'y fait maître ;
Qui le sert, pour esclave, et qui l'aime, pour traître ;
Qui le souffre a le cœur lâche, mol, abattu,
Et, pour s'en affranchir, tout s'appelle vertu.
Vous en avez, Seigneur, des preuves trop certaines ;
On a fait contre vous dix entreprises vaines ;
Peut-être que l'onzième est prête d'éclater,
Et que ce mouvement qui vous vient agiter
N'est qu'un avis secret que le Ciel vous envoie,
Qui, pour vous conserver, n'a plus que cette voie.
Ne vous exposez plus à ces fameux revers.
Il est beau de mourir maître de l'univers,

Mais la plus belle mort souille notre mémoire
Quand nous avons pu vivre et croître notre gloire.

## CINNA

Si l'amour du pays doit ici prévaloir,
C'est son bien seulement que vous devez vouloir,
Et cette liberté qui lui semble si chère
N'est pour Rome, Seigneur, qu'un bien imaginaire,
Plus nuisible qu'utile, et qui n'approche pas
De celui qu'un bon prince apporte à ses États.
   Avec ordre et raison les honneurs il dispense,
Avec discernement punit et récompense,
Et dispose de tout en juste possesseur,
Sans rien précipiter, de peur d'un successeur.
Mais, quand le peuple est maître, on n'agit qu'en tumulte,
La voix de la raison jamais ne se consulte,
Les honneurs sont vendus aux plus ambitieux,
L'autorité livrée aux plus séditieux.
Ces petits souverains qu'il fait pour une année,
Voyant d'un temps si court leur puissance bornée,
Des plus heureux desseins font avorter le fruit,
De peur de le laisser à celui qui les suit.
Comme ils ont peu de part au bien dont ils ordonnent,
Dans le champ du public largement ils moissonnent,
Assurés que chacun leur pardonne aisément,
Espérant à son tour un pareil traitement.
Le pire des États c'est l'état populaire.

## AUGUSTE

Et toutefois le seul qui dans Rome peut plaire.
Cette haine des rois que depuis cinq cents ans
Avec le premier lait sucent tous ses enfants,
Pour l'arracher des cœurs, est trop enracinée.

## MAXIME

Oui, Seigneur, dans son mal Rome est trop obstinée ;
Son peuple, qui s'y plaît, en fuit la guérison ;
Sa coutume l'emporte, et non pas la raison,

Et cette vieille erreur, que Cinna veut abattre,
Est une heureuse erreur dont il est idolâtre,
Par qui le monde entier, asservi sous ses lois,
L'a vu cent fois marcher sur la tête des rois,
Son épargne s'enfler du sac de leurs provinces.
Que lui pouvaient de plus donner les meilleurs princes ?
    J'ose dire, Seigneur, que par tous les climats
Ne sont pas bien reçus toutes sortes d'États :
Chaque peuple a le sien conforme à sa nature,
Qu'on ne saurait changer sans lui faire une injure :
Telle est la loi du Ciel, dont la sage équité
Sème dans l'univers cette diversité.
Les Macédoniens aiment le monarchique,
Et le reste des Grecs la liberté publique ;
Les Parthes, les Persans veulent des souverains,
Et le seul consulat est bon pour les Romains.

### CINNA

Il est vrai que du Ciel la prudence infinie
Départ à chaque peuple un différent génie ;
Mais il n'est pas moins vrai que cet ordre des Cieux
Change selon les temps comme selon les lieux.
Rome a reçu des rois ses murs et sa naissance,
Elle tient des consuls sa gloire et sa puissance,
Et reçoit maintenant de vos rares bontés
Le comble souverain de ses prospérités.
Sous vous l'État n'est plus en pillage aux armées,
Les portes de Janus par vos mains sont fermées,
Ce que sous les consuls on n'a vu qu'une fois,
Et qu'a fait voir comme eux le second de ses rois.

### MAXIME

Les changements d'état que fait l'ordre céleste
Ne coûtent point de sang, n'ont rien qui soit funeste.

### CINNA

C'est un ordre des dieux qui jamais ne se rompt,
De nous vendre un peu cher les grands biens qu'ils nous font

L'exil des Tarquins même ensanglanta nos terres,
Et nos premiers consuls nous ont coûté des guerres.

MAXIME

Donc votre aïeul Pompée au Ciel a résisté,
Quand il a combattu pour notre liberté ?

CINNA

Si le Ciel n'eût voulu que Rome l'eût perdue,
Par les mains de Pompée il l'aurait défendue ;
Il a choisi sa mort pour servir dignement
D'une marque éternelle à ce grand changement,
Et devait cette gloire aux mânes d'un tel homme,
D'emporter avec eux la liberté de Rome.
 Ce nom depuis longtemps ne sert qu'à l'éblouir,
Et sa propre grandeur l'empêche d'en jouir.
Depuis qu'elle se voit la maîtresse du monde,
Depuis que la richesse entre ses murs abonde,
Et que son sein, fécond en glorieux exploits,
Produit des citoyens plus puissants que des rois,
Les grands, pour s'affermir achetant les suffrages,
Tiennent pompeusement leurs maîtres à leurs gages,
Qui, par des fers dorés se laissant enchaîner,
Reçoivent d'eux les lois qu'ils pensent leur donner.
Envieux l'un de l'autre, ils mènent tout par brigues
Que leur ambition tourne en sanglantes ligues.
Ainsi de Marius, Sylla devint jaloux,
César de mon aïeul, Marc-Antoine de vous ;
Ainsi la liberté ne peut plus être utile
Qu'à former les fureurs d'une guerre civile,
Lorsque, par un désordre à l'univers fatal,
L'un ne veut point de maître, et l'autre point d'égal.
    Seigneur, pour sauver Rome il faut qu'elle s'unisse
En la main d'un bon chef à qui tout obéisse.
Si vous aimez encor à la favoriser,
Ôtez-lui les moyens de se plus diviser.
Sylla, quittant la place enfin bien usurpée,
N'a fait qu'ouvrir le champ à César et Pompée,

Que le malheur des temps ne nous eût pas fait voir,
S'il eût dans sa famille assuré son pouvoir.
Qu'a fait du grand César le cruel parricide
Qu'élever contre vous Antoine avec Lépide,
Qui n'eussent pas détruit Rome par les Romains,
Si César eût laissé l'empire entre vos mains ?
Vous la replongerez, en quittant cet empire,
Dans les maux dont à peine encore elle respire,
Et de ce peu, Seigneur, qui lui reste de sang
Une guerre nouvelle épuisera son flanc.
   Que l'amour du pays, que la pitié vous touche,
Votre Rome à genoux vous parle par ma bouche.
Considérez le prix que vous avez coûté,
Non pas qu'elle vous croie avoir trop acheté :
Des maux qu'elle a soufferts elle est trop bien payée :
Mais une juste peur tient son âme effrayée.
Si, jaloux de son heur et las de commander,
Vous lui rendez un bien qu'elle ne peut garder ;
S'il lui faut à ce prix en acheter un autre,
Si vous ne préférez son intérêt au vôtre,
Si ce funeste don la met au désespoir,
Je n'ose dire ici ce que j'ose prévoir.
Conservez-vous, Seigneur, en lui laissant un maître
Sous qui son vrai bonheur commence de renaître,
Et, pour mieux assurer le bien commun de tous,
Donnez un successeur qui soit digne de vous.

AUGUSTE

N'en délibérons plus, cette pitié l'emporte.
Mon repos m'est bien cher, mais Rome est la plus forte,
Et, quelque grand malheur qui m'en puisse arriver,
Je consens à me perdre, afin de la sauver.
Pour ma tranquillité mon cœur en vain soupire,
Cinna, par vos conseils je retiendrai l'empire,
Mais je le retiendrai pour vous en faire part.
Je vois trop que vos cœurs n'ont point pour moi de fard,
Et que chacun de vous, dans l'avis qu'il me donne,
Regarde seulement l'État et ma personne :
Votre amour en tous deux fait ce combat d'esprits,

Et vous allez tous deux en recevoir le prix.
    Maxime, je vous fais gouverneur de Sicile.
Allez donner mes lois à ce terroir fertile ;
Songez que c'est pour moi que vous gouvernerez,
Et que je répondrai de ce que vous ferez.
Pour épouse, Cinna, je vous donne Émilie :
Vous savez qu'elle tient la place de Julie,
Et que, si nos malheurs et la nécessité
M'ont fait traiter son père avec sévérité,
Mon épargne, depuis en sa faveur ouverte,
Doit avoir adouci l'aigreur de cette perte.
Voyez-la de ma part, tâchez de la gagner ;
Vous n'êtes point pour elle un homme à dédaigner,
De l'offre de vos vœux elle sera ravie.
Adieu, j'en veux porter la nouvelle à Livie.

# Scène II

## Cinna, Maxime.

MAXIME

Quel est votre dessein après ces beaux discours ?

CINNA

Le même que j'avais, et que j'aurai toujours.

MAXIME

Un chef de conjurés flatte la tyrannie !

CINNA

Un chef de conjurés la veut voir impunie !

MAXIME

Je veux voir Rome libre.

CINNA

             Et vous pouvez juger
Que je veux l'affranchir ensemble et la venger.
  Octave aura donc vu ses fureurs assouvies,
Pillé jusqu'aux autels, sacrifié nos vies,
Rempli les champs d'horreur, comblé Rome de morts,
Et sera quitte après pour l'effet d'un remords !
Quand le Ciel par nos mains à le punir s'apprête,
Un lâche repentir garantira sa tête !
C'est trop semer d'appâts, et c'est trop inviter,
Par son impunité, quelqu'autre à l'imiter.
Vengeons nos citoyens, et que sa peine étonne
Quiconque après sa mort aspire à la couronne,
Que le peuple aux tyrans ne soit plus exposé :
S'il eût puni Sylla, César eût moins osé.

MAXIME

Mais la mort de César, que vous trouvez si juste,
A servi de prétexte aux cruautés d'Auguste ;
Voulant nous affranchir, Brute s'est abusé :
S'il n'eût puni César, Auguste eût moins osé.

CINNA

La faute de Cassie et ses terreurs paniques
Ont fait rentrer l'État sous des lois tyranniques,
Mais nous ne verrons point de pareils accidents
Lorsque Rome suivra des chefs moins imprudents.

MAXIME

Nous sommes encor loin de mettre en évidence
Si nous nous conduirons avec plus de prudence ;
Cependant c'en est peu que de n'accepter pas
Le bonheur qu'on recherche au péril du trépas.

CINNA

C'en est encor bien moins, alors qu'on s'imagine
Guérir un mal si grand sans couper la racine.
Employer la douceur à cette guérison,
C'est, en fermant la plaie, y verser du poison.

MAXIME

Vous la voulez sanglante, et la rendez douteuse.

CINNA

Vous la voulez sans peine, et la rendez honteuse.

MAXIME

Pour sortir de ses fers, jamais on ne rougit.

CINNA

On en sort lâchement, si la vertu n'agit.

## MAXIME

Jamais la liberté ne cesse d'être aimable,
Et c'est toujours pour Rome un bien inestimable.

## CINNA

Ce ne peut être un bien qu'elle daigne estimer
Quand il vient d'une main lasse de l'opprimer.
Elle a le cœur trop bon pour se voir avec joie
Le rebut du tyran dont elle fut la proie,
Et tout ce que la gloire a de vrais partisans
Le hait trop puissamment pour aimer ses présents.

## MAXIME.

Donc pour vous Émilie est un objet de haine ?

## CINNA

La recevoir de lui me serait une gêne,
Mais quand j'aurais vengé Rome des maux soufferts,
Je saurai le braver jusque dans les enfers.
Oui, quand par son trépas je l'aurai méritée,
Je veux joindre à sa main ma main ensanglantée,
L'épouser sur sa cendre, et qu'après notre effort
Les présents du tyran soient le prix de sa mort.

## MAXIME

Mais l'apparence, ami, que vous puissiez lui plaire,
Teint du sang de celui qu'elle aime comme un père ?
Car vous n'êtes pas homme à la violenter.

## CINNA

Ami, dans ce palais on peut nous écouter,
Et nous parlons peut-être avec trop d'imprudence
Dans un lieu si malpropre à notre confidence.
Sortons, qu'en sûreté j'examine avec vous
Pour en venir à bout les moyens les plus doux.

FIN DU DEUXIÈME ACTE.

# Acte III

## Scène première

### Maxime, Euphorbe.

MAXIME

Lui-même il m'a tout dit, leur flamme est mutuelle,
Il adore Émilie, il est adoré d'elle ;
Mais, sans venger son père, il n'y peut aspirer,
Et c'est pour l'acquérir qu'il nous fait conspirer.

EUPHORBE

Je ne m'étonne plus de cette violence
Dont il contraint Auguste à garder sa puissance :
La ligue se romprait, s'il en était démis,
Et tous vos conjurés deviendraient ses amis.

MAXIME

Ils servent à l'envi la passion d'un homme
Qui n'agit que pour soi, feignant d'agir pour Rome,
Et moi, par un malheur qui n'eut jamais d'égal,
Je pense servir Rome, et je sers mon rival.

EUPHORBE

Vous êtes son rival ?

MAXIME

Oui, j'aime sa maîtresse,
Et l'ai caché toujours avec assez d'adresse.
Mon ardeur inconnue, avant que d'éclater,
Par quelque grand exploit la voulait mériter :
Cependant par mes mains je vois qu'il me l'enlève ;
Son dessein fait ma perte, et c'est moi qui l'achève ;

J'avance des succès dont j'attends le trépas,
Et, pour m'assassiner, je lui prête mon bras.
Que l'amitié me plonge en un malheur extrême !

### EUPHORBE

L'issue en est aisée, agissez pour vous-même ;
D'un dessein qui vous perd rompez le coup fatal :
Gagnez une maîtresse, accusant un rival.
Auguste, à qui par là vous sauverez la vie,
Ne vous pourra jamais refuser Émilie.

### MAXIME

Quoi ! trahir mon ami !

### EUPHORBE

      L'amour rend tout permis ;
Un véritable amant ne connaît point d'amis,
Et même avec justice on peut trahir un traître
Qui pour une maîtresse ose trahir son maître.
Oubliez l'amitié, comme lui les bienfaits.

### MAXIME

C'est un exemple à fuir que celui des forfaits.

### EUPHORBE

Contre un si noir dessein tout devient légitime :
On n'est point criminel, quand on punit un crime.

### MAXIME

Un crime par qui Rome obtient sa liberté !

### EUPHORBE

Craignez tout d'un esprit si plein de lâcheté.
L'intérêt du pays n'est point ce qui l'engage ;
Le sien, et non la gloire, anime son courage :

Il aimerait César, s'il n'était amoureux,
Et n'est enfin qu'ingrat, et non pas généreux.
    Pensez-vous avoir lu jusqu'au fond de son âme ?
Sous la cause publique il vous cachait sa flamme,
Et peut cacher encor sous cette passion
Les détestables feux de son ambition.
Peut-être qu'il prétend, après la mort d'Octave,
Au lieu d'affranchir Rome, en faire son esclave,
Qu'il vous conte déjà pour un de ses sujets,
Ou que sur votre perte il fonde ses projets.

### MAXIME

Mais comment l'accuser sans nommer tout le reste ?
À tous nos conjurés l'avis serait funeste,
Et par là nous verrions indignement trahis
Ceux qu'engage avec nous le seul bien du pays.
D'un si lâche dessein mon âme est incapable ;
Il perd trop d'innocents pour punir un coupable :
J'ose tout contre lui, mais je crains tout pour eux.

### EUPHORBE

Auguste s'est lassé d'être si rigoureux :
En ces occasions, ennuyé de supplices,
Ayant puni les chefs il pardonne aux complices.
Si toutefois pour eux vous craignez son courroux,
Quand vous lui parlerez, parlez au nom de tous.

### MAXIME

Nous disputons en vain, et ce n'est que folie
De vouloir par sa perte acquérir Émilie :
Ce n'est pas le moyen de plaire à ses beaux yeux
Que de priver du jour ce qu'elle aime le mieux.
Pour moi, j'estime peu qu'Auguste me la donne ;
Je veux gagner son cœur plutôt que sa personne
Et ne fait point d'état de sa possession
Si je n'ai point de part à son affection.
Puis-je la mériter par une triple offense ?
Je trahis son amant, je détruis sa vengeance,

31

Je conserve le sang qu'elle veut voir périr,
Et j'aurais quelque espoir qu'elle me pût chérir ?

### EUPHORBE

C'est ce qu'à dire vrai je vois fort difficile ;
L'artifice pourtant vous y peut être utile ;
Il en faut trouver un qui la puisse abuser,
Et du reste le temps en pourra disposer.

### MAXIME

Mais, si pour s'excuser, il nomme sa complice ?
S'il arrive qu'Auguste avec lui la punisse ?
Puis-je lui demander pour prix de mon rapport
Celle qui nous oblige à conspirer sa mort ?

### EUPHORBE

Vous pourriez m'opposer tant et de tels obstacles
Que, pour les surmonter, il faudrait des miracles ;
J'espère toutefois qu'à force d'y rêver…

### MAXIME

Éloigne-toi, dans peu j'irai te retrouver ;
Cinna vient, et je veux en tirer quelque chose,
Pour mieux résoudre après ce que je me propose.

# Scène II

## Cinna, Maxime.

### MAXIME

Vous me semblez pensif.

### CINNA

Ce n'est pas sans sujet.

### MAXIME

Puis-je d'un tel chagrin savoir quel est l'objet ?

### CINNA

Émilie et César. L'un et l'autre me gêne :
L'un me semble trop bon, l'autre trop inhumaine.
Plût aux dieux que César employât mieux ses soins,
Et s'en fit plus aimer, ou m'aimât un peu moins,
Que sa bonté touchât la beauté qui me charme,
Et la pût adoucir comme elle me désarme !
Je sens au fond du cœur mille remords cuisants
Qui rendent à mes yeux tous ses bienfaits présents :
Cette faveur si pleine, et si mal reconnue,
Par un mortel reproche à tous moments me tue.
Il me semble surtout incessamment le voir
Déposer en nos mains son absolu pouvoir,
Écouter nos avis, m'applaudir, et me dire :
« Cinna, par vos conseils je retiendrai l'empire,
Mais je le retiendrai pour vous en faire part. »
Et je puis dans son sein enfoncer un poignard !
Ah ! plutôt... Mais, hélas ! j'idolâtre Émilie,
Un serment exécrable à sa haine me lie,
L'horreur qu'elle a de lui me le rend odieux,
Des deux côtés j'offense et ma gloire et les dieux ;
Je deviens sacrilège, ou je suis parricide,
Et vers l'un ou vers l'autre il faut être perfide.

## MAXIME

Vous n'aviez point tantôt ces agitations,
Vous paraissiez plus ferme en vos intentions,
Vous ne sentiez au cœur ni remords ni reproche.

## CINNA

On ne les sent aussi que quand le coup approche,
Et l'on ne reconnaît de semblables forfaits
Que quand la main s'apprête à venir aux effets.
L'âme de son dessein jusque-là possédée,
S'attache aveuglément à sa première idée ;
Mais alors quel esprit n'en devient point troublé ?
Ou plutôt quel esprit n'en est point accablé ?
Je crois que Brute même, à tel point qu'on le prise,
Voulut plus d'une fois rompre son entreprise,
Qu'avant que de frapper, elle lui fit sentir
Plus d'un remords en l'âme et plus d'un repentir.

## MAXIME

Il eut trop de vertu pour tant d'inquiétude ;
Il ne soupçonna point sa main d'ingratitude,
Et fut contre un tyran d'autant plus animé
Qu'il en reçut de biens, et qu'il s'en vit aimé.
Comme vous l'imitez, faites la même chose,
Et formez vos remords d'une plus juste cause,
De vos lâches conseils, qui seuls ont arrêté
Le bonheur renaissant de notre liberté.
C'est vous seul aujourd'hui qui nous l'avez ôtée ;
De la main de César, Brute l'eût acceptée,
Et n'eût jamais souffert qu'un intérêt léger
De vengeance ou d'amour l'eût remise en danger.
N'écoutez plus la voix d'un tyran qui vous aime,
Et vous veut faire part de son pouvoir suprême ;
Mais entendez crier Rome à votre côté :
« Rends-moi, rends-moi, Cinna, ce que tu m'as ôté,
Et si tu m'as tantôt préféré ta maîtresse,
Ne me préfère pas le tyran qui m'oppresse. »

## CINNA

Ami, n'accable plus un esprit malheureux
Qui ne forme qu'en lâche un dessein généreux.
Envers nos citoyens je sais quelle est ma faute,
Et leur rendrai bientôt tout ce que je leur ôte ;
Mais pardonne aux abois d'une vieille amitié
Qui ne peut expirer sans me faire pitié,
Et laisse-moi, de grâce, attendant Émilie,
Donner un libre cours à ma mélancolie.
Mon chagrin t'importune, et le trouble où je suis
Veut de la solitude à calmer tant d'ennuis.

## MAXIME

Vous voulez rendre compte à l'objet qui vous blesse
De la bonté d'Octave et de votre faiblesse :
L'entretien des amants veut un entier secret.
Adieu, je me retire en confident discret.

# Scène III

## CINNA

Donne un plus digne nom au glorieux empire
Du noble sentiment que la vertu m'inspire,
Et que l'honneur oppose au coup précipité
De mon ingratitude et de ma lâcheté.
Mais plutôt continue à le nommer faiblesse,
Puisqu'il devient si faible auprès d'une maîtresse,
Qu'il respecte un amour qu'il devrait étouffer,
Ou que, s'il le combat, il n'ose en triompher.
En ces extrémités quel conseil dois-je prendre ?
De quel côté pencher ? à quel parti me rendre ?
Qu'une âme généreuse a de peine à faillir !
Quelque fruit que par là j'espère de cueillir,
Les douceurs de l'amour, celles de la vengeance,
La gloire d'affranchir le lieu de ma naissance,
N'ont point assez d'appâts pour flatter ma raison,
S'il les faut acquérir par une trahison,
S'il faut percer le flanc d'un prince magnanime
Qui du peu que je suis fait une telle estime,
Qui me comble d'honneurs, qui m'accable de biens,
Qui ne prend pour régner de conseils que les miens.
Ô coup, ô trahison trop indigne d'un homme !
Dure, dure à jamais l'esclavage de Rome,
Périsse mon amour, périsse mon espoir,
Plutôt que de ma main parte un crime si noir !
Quoi ! ne m'offre-t-il pas tout ce que je souhaite ?
Et qu'au prix de son sang ma passion achète !
Pour jouir de ses dons faut-il l'assassiner,
Et faut-il lui ravir ce qu'il me veut donner ?
    Mais je dépens de vous, ô serment téméraire,
Ô haine d'Émilie, ô souvenir d'un père !
Ma foi, mon cœur, mon bras, tout vous est engagé,
Et je ne puis plus rien que par votre congé.
C'est à vous à régler ce qu'il faut que je fasse,
C'est à vous, Émilie, à lui donner sa grâce ;
Vos seules volontés président à son sort,

Et tiennent en mes mains et sa vie et sa mort.
Ô dieux, qui comme vous la rendez adorable,
Rendez-la comme vous à mes vœux exorable,
Et, puisque de ses lois je ne puis m'affranchir,
Faites qu'à mes désirs je la puisse fléchir !
Mais voici de retour cette aimable inhumaine.

# Scène IV

## Émilie, Cinna, Fulvie.

### ÉMILIE

Grâces aux dieux Cinna, ma frayeur était vaine,
Aucun de tes amis ne t'a manqué de foi,
Et je n'ai point eu lieu de m'employer pour toi.
Octave en ma présence a tout dit à Livie,
Et par cette nouvelle il m'a rendu la vie.

### CINNA

Le désavouerez-vous, et du don qu'il me fait
Voudrez-vous retarder le bienheureux effet ?

### ÉMILIE

L'effet est en ta main.

### CINNA

Mais plutôt en la vôtre.

### ÉMILIE

Je suis toujours moi-même, et mon cœur n'est point autre.
Me donner à Cinna, c'est ne lui donner rien,
C'est seulement lui faire un présent de son bien.

### CINNA

Vous pouvez toutefois… Ô Ciel ! l'osai-je dire !

### ÉMILIE

Que puis-je, et que crains-tu ?

### CINNA

Je tremble, je soupire,
Et voit que, si nos cœurs avaient mêmes désirs,

Je n'aurais pas besoin d'expliquer mes soupirs.
Ainsi je suis trop sûr que je vais vous déplaire,
Mais je n'ose parler, et je ne puis me taire.

ÉMILIE

C'est trop me gêner. Parle.

CINNA

Il faut vous obéir ;
Je vais donc vous déplaire, et vous m'allez haïr.
Je vous aime, Émilie, et le Ciel me foudroie,
Si cette passion ne fait toute ma joie,
Et si je ne vous aime avec toute l'ardeur
Que peut un digne objet attendre d'un grand cœur.
Mais voyez à quel prix vous me donnez votre âme :
En me rendant heureux, vous me rendez infâme.
Cette bonté d'Auguste…

ÉMILIE

Il suffit, je t'entends,
Je vois ton repentir et tes vœux inconstants ;
Les faveurs du tyran emportent tes promesses,
Tes feux et tes serments cèdent à ses caresses,
Et ton esprit crédule ose s'imaginer
Qu'Auguste, pouvant tout, peut aussi me donner :
Tu me veux de sa main plutôt que de la mienne ;
Mais ne crois pas qu'ainsi jamais je t'appartienne :
Il peut faire trembler la terre sous ses pas,
Mettre un roi hors du Trône et donner ses États,
De ses proscriptions rougir la terre et l'onde,
Et changer à son gré l'ordre de tout le monde ;
Mais le cœur d'Émilie est hors de son pouvoir.

CINNA

Aussi n'est-ce qu'à vous que je veux le devoir ;
Je suis toujours moi-même, et ma foi toujours pure,

La pitié que je sens ne me rend point parjure,
J'obéis sans réserve à tous vos sentiments,
Et prends vos intérêts par-delà mes serments.
　　J'ai pu, vous le savez, sans parjure et sans crime,
Vous laisser échapper cette illustre victime ;
César, se dépouillant du pouvoir souverain,
Nous ôtait tout prétexte à lui percer le sein,
La conjuration s'en allait dissipée,
Vos desseins avortés, votre haine trompée :
Moi seul j'ai raffermi son esprit étonné,
Et, pour vous l'immoler, ma main l'a couronné.

### ÉMILIE

Pour me l'immoler, traître, et tu veux que moi-même
Je retienne ta main ! qu'il vive, et que je l'aime !
Que je sois le butin de qui l'ose épargner,
Et le prix du conseil qui le force à régner !

### CINNA

Ne me condamnez point quand je vous ai servie.
Sans moi vous n'auriez plus de pouvoir sur sa vie,
Et, malgré ses bienfaits, je rends tout à l'amour
Quand je veux qu'il périsse, ou vous doive le jour.
Avec les premiers vœux de mon obéissance
Souffrez ce faible effort de ma reconnaissance,
Que je tâche de vaincre un indigne courroux,
Et vous donner pour lui l'amour qu'il a pour vous.
Une âme généreuse et que la vertu guide
Fuit la honte des noms d'ingrate et de perfide,
Elle en hait l'infamie attachée au bonheur,
Et n'accepte aucun bien aux dépens de l'honneur.

### ÉMILIE

Je fais gloire pour moi de cette ignominie :
La perfidie est noble envers la tyrannie,
Et, quand on rompt le cours d'un sort si malheureux,
Les cœurs les plus ingrats sont les plus généreux.

CINNA

Vous faites des vertus au gré de votre haine.

ÉMILIE

Je me fais des vertus dignes d'une Romaine.

CINNA

Un cœur vraiment romain…

ÉMILIE

     Ose tout pour ravir
Une odieuse vie à qui le fait servir ;
Il fuit plus que la mort, la honte d'être esclave.

CINNA

C'est l'être avec honneur que de l'être d'Octave,
Et nous voyons souvent des rois à nos genoux
Demander pour appui tels esclaves que nous.
Il abaisse à nos pieds l'orgueil des diadèmes,
Il nous fait souverains sur leurs grandeurs suprêmes,
Il prend d'eux les tributs dont il nous enrichit,
Et leur impose un joug dont il nous affranchit.

ÉMILIE

L'indigne ambition que ton cœur se propose !
Pour être plus qu'un roi tu te crois quelque chose !
Aux deux bouts de la terre en est-il un si vain
Qu'il prétende égaler un citoyen romain ?
Antoine sur sa tête attira notre haine
En se déshonorant par l'amour d'une reine :
Attale, ce grand roi dans la pourpre blanchi,
Qui du peuple romain se nommait l'affranchi,
Quand de toute l'Asie il se fût vu l'arbitre,
Eût encore moins prisé son trône que ce titre.
Souviens-toi de ton nom, soutiens sa dignité,

Et, prenant d'un Romain la générosité,
Sache qu'il n'en est point que le Ciel n'a fait naître
Pour commander aux rois, et pour vivre sans maître.

### CINNA

Le Ciel a trop fait voir en de tels attentats
Qu'il hait les assassins, et punit les ingrats,
Et, quoi qu'on entreprenne et quoi qu'on exécute,
Quand il élève un trône, il en venge la chute ;
Il se met du parti de ceux qu'il fait régner ;
Le coup dont on les tue est longtemps à saigner,
Et, quant à les punir il a pu se résoudre,
De pareils châtiments n'appartiennent qu'au foudre.

### ÉMILIE

Dis que de leur parti toi-même tu te rends,
De te remettre au foudre à punir les tyrans.
    Je ne t'en parle plus, va, sers la tyrannie,
Abandonne ton âme à son lâche génie,
Et, pour rendre le calme à ton esprit flottant,
Oublie et ta naissance et le prix qui t'attend.
Sans emprunter ta main pour servir ma colère
Je saurai bien venger mon pays et mon père.
J'aurais déjà l'honneur d'un si fameux trépas,
Si l'amour jusqu'ici n'eût arrêté mon bras :
C'est lui qui, sous tes lois me tenant asservie,
M'a fait en ta faveur prendre soin de ma vie ;
Seule contre un tyran en le faisant périr,
Par les mains de sa garde il me fallait mourir :
Je t'eusse par ma mort dérobé ta captive ;
Et, comme pour toi seul l'amour veut que je vive,
J'ai voulu, mais en vain, me conserver pour toi,
Et te donner moyen d'être digne de moi.
    Pardonnez-moi, grands dieux, si je me suis trompée
Quand j'ai pensé chérir un neveu de Pompée,
Et si d'un faux semblant mon esprit abusé
A fait choix d'un esclave en son lieu supposé.
Je t'aime toutefois, quel que tu puisses être,

Et, si pour me gagner il faut trahir ton maître,
Mille autres à l'envi recevraient cette loi,
S'ils pouvaient m'acquérir à même prix que toi.
Mais n'appréhende pas qu'un autre ainsi m'obtienne,
Vis pour ton cher tyran, tandis que je meurs tienne ;
Mes jours avec les siens se vont précipiter,
Puisque ta lâcheté n'ose me mériter.
Viens me voir dans son sang et dans le mien baignée,
De ma seule vertu mourir accompagnée,
Et te dire en mourant d'un esprit satisfait :
« N'accuse point mon sort, c'est toi seul qui l'as fait.
Je descends dans la tombe où tu m'as condamnée,
Où la gloire me suit qui t'était destinée :
Je meurs en détruisant un pouvoir absolu,
Mais je vivrais à toi, si tu l'avais voulu. »

CINNA

Et bien, vous le voulez, il faut vous satisfaire,
Il faut affranchir Rome, il faut venger un père,
Il faut sur un tyran porter de justes coups :
Mais apprenez qu'Auguste est moins tyran que vous.
S'il nous ôte à son gré nos biens, nos jours, nos femmes,
Il n'a point jusqu'ici tyrannisé nos âmes ;
Mais l'empire inhumain qu'exercent vos beautés
Force jusqu'aux esprits, et jusqu'aux volontés.
Vous me faites priser ce qui me déshonore,
Vous me faites haïr ce que mon âme adore,
Vous me faites répandre un sang pour qui je dois
Exposer tout le mien et mille et mille fois.
Vous le voulez, j'y cours, ma parole est donnée ;
Mais ma main aussitôt, contre mon sein tournée,
Aux mânes d'un tel prince immolant votre amant,
À mon crime forcé joindra mon châtiment,
Et, par cette action dans l'autre confondue,
Recouvrera ma gloire aussitôt que perdue.
Adieu.

## Scène V

### Émilie, Fulvie.

#### FULVIE

Vous avez mis son âme au désespoir.

#### ÉMILIE

Qu'il cesse de m'aimer, ou suive son devoir.

#### FULVIE

Il va vous obéir aux dépens de sa vie.
Vous en pleurez !

#### ÉMILIE

Hélas ! cours après lui, Fulvie,
Et, si ton amitié daigne me secourir,
Arrache-lui du cœur ce dessein de mourir ;
Dis-lui…

#### FULVIE

Qu'en sa faveur vous laissez vivre Auguste ?

#### ÉMILIE

Ah ! c'est faire à ma haine une loi trop injuste.

#### FULVIE

Et quoi donc ?

#### ÉMILIE

Qu'il achève, et dégage sa foi,
Et qu'il choisisse après, de la mort ou de moi.


FIN DU TROISIÈME ACTE.

# Acte IV

## Scène première

Auguste, Euphorbe, Polyclète, gardes.

### AUGUSTE

Tout ce que tu me dis, Euphorbe, est incroyable.

### EUPHORBE

Seigneur, le récit même en paraît effroyable ;
On ne conçoit qu'à peine une telle fureur,
Et la seule pensée en fait frémir d'horreur.

### AUGUSTE

Quoi ! mes plus chers amis ! quoi ! Cinna ! quoi ! Maxime !
Les deux que j'honorais d'une si haute estime,
À qui j'ouvrais mon cœur, et dont j'avais fait choix
Pour les plus importants et plus nobles emplois !
Après qu'entre leurs mains j'ai remis mon empire,
Pour m'arracher le jour l'un et l'autre conspire !
Maxime a vu sa faute, il m'en fait avertir,
Et montre un cœur touché d'un juste repentir ;
Mais Cinna !

### EUPHORBE

Cinna seul dans sa rage s'obstine,
Et contre vos bontés d'autant plus se mutine :
Lui seul combat encor les vertueux efforts
Que sur les conjurés fait ce juste remords,
Et, malgré les frayeurs à leurs regrets mêlées,
Il tâche à raffermir leurs âmes ébranlées.

### AUGUSTE

Lui seul les encourage, et lui seul les séduit !
Ô le plus déloyal que la terre ait produit !

Ô trahison conçue au sein d'une furie !
Ô trop sensible coup d'une main si chérie !
Cinna, tu me trahis ! Polyclète, écoutez.
*(Il lui parle à l'oreille.)*

### POLYCLÈTE

Tous vos ordres, Seigneur, seront exécutés.

### AUGUSTE

Qu'Éraste en même temps aille dire à Maxime
Qu'il vienne recevoir le pardon de son crime.
*(Polyclète rentre.)*

### EUPHORBE

Il l'a trop jugé grand pour ne pas s'en punir ;
À peine du palais il a pu revenir
Que, les yeux égarés et le regard farouche,
Le cœur gros de soupirs, les sanglots à la bouche,
Il déteste sa vie et ce complot maudit,
M'en apprend l'ordre entier tel que je vous l'ai dit,
Et, m'ayant commandé que je vous avertisse,
Il ajoute : « Dis-lui que je me fais justice,
Que je n'ignore point ce que j'ai mérité. »
Puis soudain dans le Tibre il s'est précipité,
Et l'eau grosse et rapide, et la nuit assez noire,
M'ont dérobé la fin de sa tragique histoire.

### AUGUSTE

Sous ce pressant remords, il a trop succombé,
Et s'est à mes bontés lui-même dérobé ;
Il n'est crime envers moi qu'un repentir n'efface ;
Mais, puisqu'il a voulu renoncer à ma grâce,
Allez pourvoir au reste, et faites qu'on ait soin
De tenir en lieu sûr, ce fidèle témoin.

## Scène II

### AUGUSTE

Ciel, à qui voulez-vous désormais que je fie
Les secrets de mon âme et le soin de ma vie ?
Reprenez le pouvoir que vous m'avez commis
Si, donnant des sujets, il ôte les amis,
Si tel est le destin des grandeurs souveraines
Que leurs plus grands bienfaits n'attirent que des haines,
Et si votre rigueur les condamne à chérir
Ceux que vous animez à les faire périr.
Pour elles rien n'est sûr ; qui peut tout, doit tout craindre.
   Rentre en toi-même, Octave, et cesse de te plaindre.
Quoi ! tu veux qu'on t'épargne et n'as rien épargné !
Songe aux fleuves de sang où ton bras s'est baigné,
De combien ont rougi les champs de Macédoine,
Combien en a versé la défaite d'Antoine,
Combien celle de Sexte, et revois, tout d'un temps,
Pérouse au sien noyée, et tous ses habitants.
Remets dans ton esprit, après tant de carnages,
De tes proscriptions les sanglantes images,
Où toi-même, des tiens devenu le bourreau,
Au sein de ton tuteur enfonças le couteau ;
Et puis ose accuser le destin d'injustice
Quand tu vois que les tiens s'arment pour ton supplice,
Et que, par ton exemple à ta perte guidés,
Ils violent des droits que tu n'as pas gardés.
Leur trahison est juste, et le Ciel l'autorise ;
Quitte ta dignité comme tu l'as acquise,
Rends un sang infidèle à l'infidélité,
Et souffre des ingrats, après l'avoir été.
   Mais que mon jugement, au besoin m'abandonne !
Quelle fureur, Cinna, m'accuse et te pardonne,
Toi dont la trahison me force à retenir
Ce pouvoir souverain dont tu me veux punir,
Me traite en criminel, et fait seule mon crime,
Relève, pour l'abattre, un trône illégitime,
Et, d'un zèle effronté couvrant son attentat,

S'oppose, pour me perdre, au bonheur de l'État ?
Donc jusqu'à l'oublier je pourrais me contraindre !
Tu vivrais en repos après m'avoir fait craindre ?
Non, non, je me trahis moi-même d'y penser ;
Qui pardonne aisément invite à l'offenser ;
Punissons l'assassin, proscrivons les complices.
    Mais quoi ! toujours du sang, et toujours des supplices !
Ma cruauté se lasse et ne peut s'arrêter :
Je veux me faire craindre, et ne fais qu'irriter ;
Rome a pour ma ruine une hydre trop fertile,
Une tête coupée en fait renaître mille,
Et le sang répandu de mille conjurés
Rend mes jours plus maudits, et non plus assurés.
Octave, n'attends plus le coup d'un nouveau Brute :
Meurs, et dérobe-lui la gloire de ta chute ;
Meurs, tu ferais pour vivre un lâche et vain effort,
Si tant de gens de cœur font des vœux pour ta mort,
Et si tout ce que Rome a d'illustre jeunesse,
Pour te faire périr, tout à tour s'intéresse ;
Meurs, puisque c'est un mal que tu ne peux guérir ;
Meurs enfin, puisqu'il faut ou tout perdre ou mourir.
La vie est peu de chose, et le peu qui t'en reste
Ne vaut pas l'acheter par un prix si funeste ;
Meurs. Mais quitte du moins la vie avec éclat,
Éteins-en le flambeau dans le sang de l'ingrat,
À toi-même en mourant immole ce perfide ;
Contentant ses désirs, punis son parricide,
Fais un tourment pour lui de ton propre trépas,
En faisant qu'il le voie et n'en jouisse pas.
Mais jouissons plutôt nous-mêmes de sa peine,
Et, si Rome nous hait, triomphons de sa haine.
    Ô Romains, ô vengeance, ô pouvoir absolu,
Ô rigoureux combat d'un cœur irrésolu
Qui fuit en même temps tout ce qu'il se propose,
D'un prince malheureux, ordonnez quelque chose !
Qui des deux dois-je suivre, et duquel m'éloigner ?
Ou laissez-moi périr, ou laissez-moi régner.

# Scène III

### Auguste, Livie.

#### AUGUSTE

Madame, on me trahit, et la main qui me tue
Rend sous mes déplaisirs ma constance abattue.
Cinna, Cinna, le traître…

#### LIVIE

Euphorbe m'a tout dit,
Seigneur, et j'ai pâli cent fois à ce récit.
Mais écouteriez-vous les conseils d'une femme ?

#### AUGUSTE

Hélas ! de quel conseil est capable mon âme ?

#### LIVIE

Votre sévérité, sans produire aucun fruit,
Seigneur, jusqu'à présent a fait beaucoup de bruit.
Par les peines d'un autre aucun ne s'intimide :
Salvidien à bas a soulevé Lépide,
Murène a succédé, Cépion l'a suivi ;
Le jour à tous les deux dans les tourments ravi
N'a point mêlé de crainte à la fureur d'Egnace,
Dont Cinna maintenant ose prendre la place,
Et dans les plus bas rangs les noms les plus abjets
Ont voulu s'ennoblir par de si hauts projets.
Après avoir en vain puni leur insolence,
Essayez sur Cinna ce que peut la clémence,
Faites son châtiment de sa confusion,
Cherchez le plus utile en cette occasion.
Sa peine peut aigrir une ville animée,
Son pardon peut servir à votre renommée,
Et ceux que vos rigueurs ne font qu'effaroucher
Peut-être à vos bontés se laisseront toucher.

## AUGUSTE

Gagnons-les tout à fait en quittant cet empire
Qui nous rend odieux, contre qui l'on conspire ;
J'ai trop par vos avis consulté là-dessus,
Ne m'en parlez jamais, je ne consulte plus.
  Cesse de soupirer, Rome, pour ta franchise ;
Si je t'ai mise aux fers, moi-même je les brise,
Et te rends ton État, après l'avoir conquis,
Plus paisible et plus grand que je ne te l'ai pris.
Si tu me veux haïr, hais-moi sans plus rien feindre ;
Si tu me veux aimer, aime-moi sans me craindre :
De tout ce qu'eut Sylla, de puissance et d'honneur,
Lassé comme il en fut, j'aspire à son bonheur.

## LIVIE

Assez et trop longtemps son exemple vous flatte,
Mais gardez que sur vous le contraire n'éclate ;
Ce bonheur sans pareil qui conserva ses jours
Ne serait pas bonheur, s'il arrivait toujours.

## AUGUSTE

Eh bien, s'il est trop grand, si j'ai tort d'y prétendre,
J'abandonne mon sang à qui voudra l'épandre.
Après un long orage il faut trouver un port,
Et je n'en vois que deux, le repos ou la mort.

## LIVIE

Quoi ! vous voulez quitter le fruit de tant de peines ?

## AUGUSTE

Quoi ! vous voulez garder l'objet de tant de haines ?

## LIVIE

Seigneur, vous emporter à cette extrémité,
C'est plutôt désespoir que générosité.

## AUGUSTE

Régner et caresser une main si traîtresse,
Au lieu de sa vertu c'est montrer sa faiblesse.

## LIVIE

C'est régner sur vous-même, et, par un noble choix,
Pratiquer la vertu la plus digne des rois.

## AUGUSTE

Vous m'aviez bien promis des conseils d'une femme,
Vous me tenez parole, et c'en sont là, Madame.
    Après tant d'ennemis à mes pieds abattus
Depuis vingt ans je règne, et j'en sais les vertus ;
Je sais leur divers ordre, et de quelle nature
Sont les devoirs d'un prince en cette conjecture.
Tout son peuple est blessé par un tel attentat,
Et la seule pensée est un crime d'État,
Une offense qu'on fait à toute sa province,
Dont il faut qu'il la venge, ou cesse d'être prince.

## LIVIE

Donnez moins de croyance à votre passion.

## AUGUSTE

Ayez moins de faiblesse, ou moins d'ambition.

## LIVIE

Ne traitez plus si mal un conseil salutaire.

## AUGUSTE

Le Ciel m'inspirera ce qu'ici je dois faire.
Adieu, nous perdons temps.

## LIVIE

                    Je ne vous quitte point,
Seigneur, que mon amour n'ait obtenu ce point.

## AUGUSTE

C'est l'amour des grandeurs qui vous rend importune.

## LIVIE

J'aime votre personne, et non votre fortune.
*(Elle est seule.)*

Il m'échappe, suivons, et forçons-le de voir
Qu'il peut en faisant grâce affermir son pouvoir,
Et qu'enfin la clémence est la plus belle marque
Qui fasse à l'univers connaître un vrai monarque.

# Scène IV

## Émilie, Fulvie.

### ÉMILIE

D'où me vient cette joie, et que mal à propos
Mon esprit malgré moi goûte un entier repos !
César mande Cinna sans me donner d'alarmes !
Mon cœur est sans soupirs, mes yeux n'ont point de larmes,
Comme si j'apprenais d'un secret mouvement
Que tout doit succéder à mon contentement !
Ai-je bien entendu ? Me l'as-tu dit, Fulvie ?

### FULVIE

J'avais gagné sur lui qu'il aimerait la vie,
Et je vous l'amenais plus traitable et plus doux
Faire un second effort contre votre courroux.
Je m'en applaudissais, quand soudain Polyclète,
Des volontés d'Auguste, ordinaire interprète,
Est venu l'aborder et sans suite et sans bruit,
Et de sa part sur l'heure au palais l'a conduit.
Auguste est fort troublé, l'on ignore la cause ;
Chacun diversement soupçonne quelque chose,
Tous présument qu'il ait un grand sujet d'ennui,
Et qu'il mande Cinna pour prendre avis de lui.
Mais ce qui m'embarrasse, et que je viens d'apprendre,
C'est que deux inconnus se sont saisis d'Évandre,
Qu'Euphorbe est arrêté, sans qu'on sache pourquoi,
Que même de son maître on dit je ne sais quoi :
On lui veut imputer un désespoir funeste,
On parle d'eaux, de Tibre, et l'on se tait du reste.

### ÉMILIE

Que de sujets de craindre et de désespérer,
Sans que mon triste cœur en daigne murmurer !
À chaque occasion le Ciel y fait descendre
Un sentiment contraire à celui qu'il doit prendre ;

Une vaine frayeur tantôt m'a pu troubler,
Et je suis insensible alors qu'il faut trembler.
    Je vous entends, grands dieux, vos bontés, que j'adore,
Ne peuvent consentir que je me déshonore,
Et, ne me permettant soupirs, sanglots, ni pleurs,
Soutiennent ma vertu contre de tels malheurs.
Vous voulez que je meure avec ce grand courage
Qui m'a fait entreprendre un si fameux ouvrage,
Et je veux bien périr comme vous l'ordonnez,
Et dans la même assiette où vous me retenez.
    Ô liberté de Rome, ô mânes de mon père,
J'ai fait de mon côté tout ce que j'ai pu faire ;
Contre votre tyran j'ai ligué ses amis,
Et plus osé pour vous qu'il ne m'était permis.
Si l'effet a manqué, ma gloire n'est pas moindre ;
N'ayant pu vous venger, je vous irai rejoindre,
Mais si fumante encor d'un généreux courroux,
Par un trépas si noble et si digne de vous,
Qu'il vous fera sur l'heure aisément reconnaître
Le sang des grands héros dont vous m'avez fait naître.

## Scène V

### Maxime, Émilie, Fulvie.

#### ÉMILIE

Mais, je vous vois, Maxime, et l'on vous faisait mort !

#### MAXIME

Euphorbe trompe Auguste avec ce faux rapport :
Se voyant arrêté, la trame découverte,
Il a feint ce trépas pour empêcher ma perte.

#### ÉMILIE

Que dit-on de Cinna ?

#### MAXIME

   Que son plus grand regret,
C'est de voir que César sait tout votre secret ;
En vain il le dénie, et le veut méconnaître,
Évandre a tout conté pour excuser son maître,
Et par l'ordre d'Auguste on vient vous arrêter.

#### ÉMILIE

Celui qui l'a reçu tarde à l'exécuter,
Je suis prête à le suivre et lasse de l'attendre.

#### MAXIME

Il vous attend chez moi.

#### ÉMILIE

   Chez vous !

#### MAXIME

     C'est vous surprendre,
Mais apprenez le soin que le Ciel a de vous :

C'est un des conjurés qui va fuir avec nous.
Prenons notre avantage avant qu'on nous poursuive,
Nous avons pour partir un vaisseau sur la rive.

### ÉMILIE

Me connais-tu, Maxime, et sais-tu qui je suis ?

### MAXIME

En faveur de Cinna, je fais ce que je puis,
Et tâche à garantir de ce malheur extrême
La plus belle moitié qui reste de lui-même.
    Sauvons-nous, Émilie, et conservons le jour,
Afin de le venger par un heureux retour.

### ÉMILIE

Cinna dans son malheur est de ceux qu'il faut suivre,
Qu'il ne faut pas venger, de peur de leur survivre.
Quiconque après sa perte aspire à se sauver
Est indigne du jour qu'il tâche à conserver.

### MAXIME

Quel désespoir aveugle à ces fureurs vous porte !
Ô dieux ! que de faiblesse en une âme si forte !
Ce cœur si généreux rend si peu de combat,
Et, du premier revers, la Fortune l'abat !
Rappelez, rappelez cette vertu sublime,
Ouvrez enfin les yeux, et connaissez Maxime :
C'est un autre Cinna qu'en lui vous regardez,
Le Ciel vous rend en lui l'amant que vous perdez,
Et, puisque l'amitié n'en faisait plus qu'une âme,
Aimez en cet ami l'objet de votre flamme
Avec la même ardeur il saura vous chérir,
Que...

### ÉMILIE

    Tu m'oses aimer, et tu n'oses mourir !
Tu prétends un peu trop, mais, quoique tu prétendes,
Rends-toi digne du moins de ce que tu demandes ;

Cesse de fuir en lâche un glorieux trépas,
Ou de m'offrir un cœur que tu fais voir si bas ;
Fais que je porte envie à ta vertu parfaite ;
Ne te pouvant aimer, fais que je te regrette ;
Montre d'un vrai Romain la dernière vigueur,
Et mérite mes pleurs au défaut de mon cœur.
Quoi ! si ton amitié pour Cinna s'intéresse,
Crois-tu qu'elle consiste à flatter sa maîtresse ?
Apprends, apprends de moi quel en est le devoir,
Et, donne-m'en l'exemple, ou viens le recevoir.

MAXIME

Votre juste douleur est trop impétueuse.

ÉMILIE

La tienne en ta faveur est trop ingénieuse.
Tu me parles déjà d'un bienheureux retour,
Et, dans tes déplaisirs tu conçois de l'amour !

MAXIME

Cet amour en naissant est toutefois extrême :
C'est votre amant en vous, c'est mon ami que j'aime,
Et des mêmes ardeurs dont il fut embrasé…

ÉMILIE

Maxime, en voilà trop pour un homme avisé.
Ma perte m'a surprise, et ne m'a point troublée,
Mon noble désespoir ne m'a point aveuglée ;
Ma vertu toute entière agit sans s'émouvoir,
Et je vois malgré moi plus que je ne veux voir.

MAXIME

Quoi ! vous suis-je suspect de quelque perfidie ?

ÉMILIE

Oui, tu l'es, puisqu'enfin tu veux que je le dise ;
L'ordre de notre fuite est trop bien concerté

Pour ne te soupçonner d'aucune lâcheté.
Les dieux seraient pour nous prodigues en miracles
S'ils en avaient sans toi levé tous les obstacles :
Fuis sans moi, tes amours sont ici superflus.

MAXIME

Ah ! vous m'en dites trop.

ÉMILIE

J'en présume encor plus.
Ne crains pas toutefois que j'éclate en injures,
Mais n'espère non plus m'éblouir de parjures.
Si c'est te faire tort que de m'en défier,
Viens mourir avec moi pour te justifier.

MAXIME

Vivez, belle Émilie, et souffrez qu'un esclave…

ÉMILIE

Je ne t'écoute plus qu'en présence d'Octave.
Allons, Fulvie, allons.

# Scène VI

## MAXIME

Désespéré, confus,
Et digne, s'il se peut, d'un plus cruel refus,
Que résous-tu, Maxime, et quel est le supplice
Que ta vertu prépare à ton vain artifice ?
Aucune illusion ne te doit plus flatter ;
Émilie en mourant va tout faire éclater ;
Sur un même échafaud la perte de sa vie
Étalera sa gloire et ton ignominie,
Et sa mort va laisser à la postérité
L'infâme souvenir de ta déloyauté.
Un même jour t'a vu, par une fausse adresse,
Trahir ton souverain, ton ami, ta maîtresse,
Sans que de tant de droits en un jour violés,
Sans que de deux amants au tyran immolés,
Il te reste aucun fruit que la honte et la rage
Qu'un remords inutile allume en ton courage.
    Euphorbe, c'est l'effet de tes lâches conseils ;
Mais que peut-on attendre enfin de tes pareils ?
Jamais un affranchi n'est qu'un esclave infâme.
Bien qu'il change d'état, il ne change point d'âme ;
La tienne, encor servile, avec la liberté
N'a pu prendre un rayon de générosité.
Tu m'as fait relever une injuste puissance,
Tu m'as fait démentir l'honneur de ma naissance.
Mon cœur te résistait, et tu l'as combattu
Jusqu'à ce que ta fourbe ait souillé sa vertu.
Il m'en coûte la vie, il m'en coûte la gloire,
Et j'ai tout mérité pour t'avoir voulu croire.
Mais les dieux permettront à mes ressentiments
De te sacrifier aux yeux des deux amants,
Et j'ose m'assurer qu'en dépit de mon crime
Mon sang leur servira d'assez pure victime,
Si dans le tien mon bras, justement irrité,
Peut laver le forfait de t'avoir écouté.

FIN DU QUATRIÈME ACTE.

# Acte V

## Scène première

### Auguste, Cinna.

#### AUGUSTE

Prends un siège, Cinna, prends, et sur toute chose
Observe exactement la loi que je t'impose :
Prête, sans me troubler, l'oreille à mes discours ;
D'aucun mot, d'aucun cri n'en interromps le cours ;
Tiens ta langue captive, et, si ce grand silence
À ton émotion fait quelque violence,
Tu pourras me répondre, après, tout à loisir.
Sur ce point seulement contente mon désir.

#### CINNA

Je vous obéirai, Seigneur.

#### AUGUSTE

    Qu'il te souvienne
De garder ta parole, et je tiendrai la mienne.
    Tu vois le jour, Cinna, mais ceux dont tu le tiens
Furent les ennemis de mon père et les miens ;
Au milieu de leur camp tu reçus la naissance,
Et, lorsqu'après leur mort tu vins en ma puissance,
Leur haine enracinée au milieu de ton sein
T'avais mis contre moi les armes à la main.
Tu fus mon ennemi même avant que de naître,
Et tu le fus encor quand tu me pus connaître,
Et l'inclination jamais n'a démenti
Ce sang qui t'avait fait du contraire parti.
Autant que tu l'as pu, les effets l'ont suivie :
Je ne m'en suis vengé qu'en te donnant la vie ;
Je te fis prisonnier pour te combler de biens,

Ma Cour fut ta prison, mes faveurs tes liens ;
Je te restituai d'abord ton patrimoine,
Je t'enrichis après des dépouilles d'Antoine,
Et tu sais que, depuis, à chaque occasion,
Je suis tombé pour toi dans la profusion.
Toutes les dignités que tu m'as demandées,
Je te les ai sur l'heure et sans peine accordées ;
Je t'ai préféré même à ceux dont les parents
Ont jadis dans mon camp tenu les premiers rangs,
À ceux qui de leur sang m'ont acheté l'empire,
Et qui m'ont conservé le jour que je respire :
De la façon enfin qu'avec toi j'ai vécu,
Les vainqueurs sont jaloux du bonheur du vaincu.
Quand le Ciel me voulut, en rappelant Mécène,
Après tant de faveur montrer un peu de haine,
Je te donnai sa place en ce triste accident,
Et te fis, après lui, mon plus cher confident.
Aujourd'hui même encor, mon âme irrésolue
Me pressant de quitter ma puissance absolue,
De Maxime et de toi j'ai pris les seuls avis,
Et ce sont, malgré lui, les tiens que j'ai suivis.
Bien plus, ce même jour je te donne Émilie,
Le digne objet des vœux de toute l'Italie,
Et qu'ont mise si haut mon amour et mes soins
Qu'en te couronnant roi, je t'aurais donné moins.
Tu t'en souviens, Cinna, tant d'heur et tant de gloire
Ne peuvent pas sitôt sortir de ta mémoire ;
Mais ce qu'on ne pourrait jamais s'imaginer,
Cinna, tu t'en souviens, et veux m'assassiner.

CINNA

Moi, Seigneur, moi que j'eusse une âme si traîtresse !
Qu'un si lâche dessein…

AUGUSTE,

Tu tiens mal ta promesse.
Sieds-toi, je n'ai pas dit encor ce que je veux ;
Tu te justifieras après, si tu le peux.

Écoute cependant, et tiens mieux ta parole.
  Tu veux m'assassiner, demain, au Capitole,
Pendant le sacrifice, et ta main, pour signal,
Me doit, au lieu d'encens, donner le coup fatal ;
La moitié de tes gens doit occuper la porte,
L'autre moitié te suivre, et te prêter main-forte.
Ai-je de bons avis ou de mauvais soupçons ?
De tous ces meurtriers, te dirai-je les noms ?
Procule, Glabrion, Virginian, Rutile,
Marcel, Plaute, Lénas, Pompone, Albin, Icile,
Maxime, qu'après toi j'avais le plus aimé ;
Le reste ne vaut pas l'honneur d'être nommé,
Un tas d'hommes perdus de dettes et de crimes
Que pressent de mes lois les ordres légitimes,
Et qui, désespérant de les plus éviter,
Si tout n'est renversé, ne sauraient subsister.
  Tu te tais maintenant, et gardes le silence
Plus par confusion que par obéissance.
Quel était ton dessein, et que prétendais-tu
Après m'avoir au temple à tes pieds abattu ?
Affranchir ton pays d'un pouvoir monarchique ?
Si j'ai bien entendu tantôt ta politique,
Son salut désormais dépend d'un souverain
Qui, pour tout conserver, tienne tout en sa main,
Et, si sa liberté te faisait entreprendre,
Tu ne m'eusses jamais empêché de la rendre :
Tu l'aurais acceptée au nom de tout l'État
Sans vouloir l'acquérir par un assassinat.
Quel était donc ton but ? D'y régner en ma place ?
D'un étrange malheur son destin le menace,
Si, pour monter au trône et lui donner la loi,
Tu ne trouves dans Rome autre obstacle que moi,
Si jusques à ce point son sort est déplorable
Que tu sois après moi le plus considérable,
Et que ce grand fardeau de l'empire romain
Ne puisse après ma mort tomber mieux qu'en ta main.
  Apprends à te connaître et descends en toi-même.
On t'honore dans Rome, on te courtise, on t'aime,
Chacun tremble sous toi, chacun t'offre des vœux,
Ta fortune est bien haut, tu peux ce que tu veux ;

Mais tu ferais pitié même à ceux qu'elle irrite,
Si je t'abandonnais à ton peu de mérite.
Ose me démentir, dis-moi ce que tu vaux,
Conte-moi tes vertus, tes glorieux travaux,
Les rares qualités par où tu m'as dû plaire,
Et tout ce qui t'élève au-dessus du vulgaire.
Ma faveur fait ta gloire, et ton pouvoir en vient ;
Elle seule t'élève, et seule te soutient :
    C'est elle qu'on adore, et non pas ta personne ;
Tu n'as crédit ni rang qu'autant qu'elle t'en donne,
Et, pour te faire choir, je n'aurais aujourd'hui
Qu'à retirer la main qui seule est ton appui.
J'aime mieux toutefois céder à ton envie :
Règne, si tu peux, aux dépens de ma vie.
Mais oses-tu penser que les Serviliens,
Les Cosses, les Métels, les Pauls, les Fabiens,
Et tant d'autres enfin, de qui les grands courages
Des héros de leur sang sont les vives images,
Quittent le noble orgueil d'un sang si généreux
Jusqu'à pouvoir souffrir que tu règnes sur eux ?
Parle, parle, il est temps.

CINNA

    Je demeure stupide :
Non que votre colère ou la mort m'intimide ;
Je vois qu'on m'a trahi, vous m'y voyez rêver,
Et j'en cherche l'auteur sans le pouvoir trouver.
    Mais c'est trop y tenir toute l'âme occupée.
Seigneur, je suis Romain et du sang de Pompée ;
Le père et les deux fils, lâchement égorgés,
Par la mort de César étaient trop peu vengés.
C'est là d'un beau dessein l'illustre et seule cause,
Et puisqu'à vos rigueurs la trahison m'expose,
N'attendez point de moi d'infâmes repentirs,
D'inutiles regrets, ni de honteux soupirs.
Le sort vous est propice autant qu'il m'est contraire.
Je sais ce que j'ai fait et ce qu'il vous faut faire,
Vous devez un exemple à la postérité,
Et mon trépas importe à votre sûreté.

## AUGUSTE

Tu me braves, Cinna, tu fais le magnanime,
Et, loin de t'excuser, tu couronnes ton crime :
Voyons si ta constance ira jusques au bout.
Tu sais ce qui t'est dû, tu vois que je sais tout :
Fais ton arrêt toi-même, et choisis tes supplices.

# Scène II

Auguste, Livie, Cinna, Émilie, Fulvie.

LIVIE

Vous ne connaissez pas encor tous les complices.
Votre Émilie en est, Seigneur, et la voici.

CINNA

C'est elle-même, ô Dieu !

AUGUSTE

Et toi, ma fille, aussi !

ÉMILIE

Oui, tout ce qu'il a fait, il l'a fait pour me plaire,
Et j'en étais, Seigneur, la cause et le salaire.

AUGUSTE

Quoi ! l'amour qu'en ton cœur j'ai fait naître aujourd'hui
T'emporte-t-il déjà jusqu'à mourir pour lui ?
Ton âme à ces transports, un peu trop s'abandonne,
Et c'est trop tôt aimer l'amant que je te donne.

ÉMILIE

Cet amour qui m'expose à vos ressentiments,
N'est point le prompt effet de vos commandements :
Ces flammes dans nos cœurs, sans votre ordre étaient nées,
Et ce sont des secrets de plus de quatre années.
Mais, quoique je l'aimasse et qu'il brûlât pour moi,
Une haine plus forte à tous deux fit la loi :
Je ne voulus jamais lui donner d'espérance
Qu'il ne m'eût de mon père assuré la vengeance ;
Je la lui fis jurer, il chercha des amis ;
Le Ciel rompt le succès que je m'étais promis,
Et je vous viens, Seigneur, offrir une victime,

65

Non pour sauver sa vie en me chargeant du crime,
Son trépas est trop juste après son attentat,
Et toute excuse est vaine en un crime d'État :
Mourir en sa présence, et rejoindre mon père,
C'est tout ce qui m'amène et tout ce que j'espère.

### AUGUSTE

Jusques à quand, ô Ciel, et par quelle raison
Prendrez-vous contre moi des traits dans ma maison ?
Pour ses débordements j'en ai chassé Julie ;
Mon amour en sa place a fait choix d'Émilie,
Et je la vois comme elle indigne de ce rang
L'une m'ôtait l'honneur, l'autre a soif de mon sang,
Et, prenant toutes deux leur passion pour guide,
L'une fut impudique, et l'autre est parricide.
Ô ma fille, est-ce là le prix de mes bienfaits ?

### ÉMILIE

Ceux de mon père en vous firent mêmes effets.

### AUGUSTE

Songe avec quel amour j'élevais ta jeunesse.

### ÉMILIE

Il éleva la vôtre avec même tendresse,
Il fut votre tuteur, et vous son assassin,
Et vous m'avez au crime enseigné le chemin.
Le mien d'avec le vôtre en ce point seul diffère,
Que votre ambition s'est immolé mon père,
Et qu'un juste courroux dont je me sens brûler,
À son sang innocent voulait vous immoler.

### LIVIE

C'en est trop Émilie, arrête, et considère
Qu'il t'a trop bien payé les bienfaits de ton père :
Sa mort, dont la mémoire allume ta fureur,
Fut un crime d'Octave, et non de l'empereur.

Tous ces crimes d'État qu'on fait pour la couronne,
Le Ciel nous en absout alors qu'il nous la donne,
Et, dans le sacré rang où sa faveur l'a mis,
Le passé devient juste, et l'avenir permis.
Qui peut y parvenir ne peut être coupable ;
Quoi qu'il ait fait ou fasse, il est inviolable ;
Nous lui devons nos biens, nos jours sont en sa main,
Et jamais on n'a droit sur ceux du souverain.

### ÉMILIE

Aussi, dans le discours que vous venez d'entendre,
Je parlais pour l'aigrir et non pour me défendre.
 Punissez donc, Seigneur, ces criminels appas
Qui de vos favoris font d'illustres ingrats ;
Tranchez mes tristes jours pour assurer les vôtres :
Si j'ai séduit Cinna, j'en séduirai bien d'autres,
Et je suis plus à craindre, et vous plus en danger,
Si j'ai l'amour ensemble et le sang à venger.

### CINNA

Que vous m'ayez séduit, et que je souffre encore
D'être déshonoré par celle que j'adore !
    Seigneur, la vérité doit ici s'exprimer.
J'avais fait ce dessein avant que de l'aimer ;
À mes plus saints désirs la trouvant inflexible,
Je crus qu'à d'autres soins elle serait sensible :
Je parlai de son père et de votre rigueur,
Et l'offre de mon bras suivit celle du cœur.
Que la vengeance est douce à l'esprit d'une femme !
Je l'attaquai par là, par là je pris son âme.
Dans mon peu de mérite elle me négligeait,
Et ne put négliger le bras qui la vengeait.
Elle n'a conspiré que par mon artifice :
J'en suis le seul auteur, elle n'est que complice.

### ÉMILIE

Cinna, qu'oses-tu dire ? est-ce là me chérir,
Que de m'ôter l'honneur quand il me faut mourir ?

CINNA

Mourez, mais en mourant ne souillez point ma gloire.

ÉMILIE

La mienne se flétrit si César te veut croire.

CINNA

Et la mienne se perd, si vous tirez à vous
Toute celle qui suit de si généreux coups.

ÉMILIE

Eh bien, prends-en ta part, et me laisse la mienne ;
Ce serait l'affaiblir que d'affaiblir la tienne :
La gloire et le plaisir, la honte et les tourments,
Tout doit être commun entre de vrais amants.
 Nos deux âmes, Seigneur, sont deux âmes romaines :
Unissant nos désirs, nous unîmes nos haines ;
De nos parents perdus le vif ressentiment
Nous apprit nos devoirs en un même moment ;
En ce noble dessein nos cœurs se rencontrèrent,
Nos esprits généreux ensemble le formèrent,
Ensemble nous cherchons l'honneur d'un beau trépas :
Vous vouliez nous unir, ne nous séparez pas.

AUGUSTE

Oui, je vous unirai, couple ingrat et perfide,
Et plus mon ennemi qu'Antoine ni Lépide.
Oui, je vous unirai, puisque vous le voulez ;
Il faut bien satisfaire aux feux dont vous brûlez,
Et que tout l'univers, sachant ce qui m'anime,
S'étonne du supplice aussi bien que du crime.

# Scène III

Auguste, Livie, Cinna, Maxime, Émilie, Fulvie.

### AUGUSTE

Mais enfin le Ciel m'aime, et ses bienfaits nouveaux
Ont enlevé Maxime à la fureur des eaux.
Approche, seul ami que j'éprouve fidèle.

### MAXIME

Honorez moins, Seigneur, une âme criminelle.

### AUGUSTE

Ne parlons plus de crime après ton repentir,
Après que du péril tu m'as su garantir :
C'est à toi que je dois et le jour et l'empire.

### MAXIME

De tous vos ennemis connaissez mieux le pire.
Si vous régnez encor, Seigneur, si vous vivez,
C'est ma jalouse rage à qui vous le devez.
    Un vertueux remords n'a point touché mon âme :
Pour perdre mon rival j'ai découvert sa trame ;
Euphorbe vous a feint que je m'étais noyé,
De crainte qu'après moi vous n'eussiez envoyé.
Je voulais avoir lieu d'abuser Émilie,
Effrayer son esprit, la tirer d'Italie,
Et pensais la résoudre à cet enlèvement
Sous l'espoir du retour pour venger son amant.
Mais, au lieu de goûter ces grossières amorces,
Sa vertu combattue a redoublé ses forces :
Elle a lu dans mon cœur. Vous savez le surplus,
Et je vous en ferais des récits superflus :
Vous voyez le succès de mon lâche artifice.
Si pourtant quelque grâce est due à mon indice,
Faites périr Euphorbe au milieu des tourments,

Et souffrez que je meure aux yeux de ces amants.
J'ai trahi mon ami, ma maîtresse, mon maître,
Ma gloire, mon pays, par l'avis de ce traître,
Et croirai toutefois mon bonheur infini,
Si je puis m'en punir après l'avoir puni.

### AUGUSTE

En est-ce assez, ô Ciel ! et le sort, pour me nuire,
A-t-il quelqu'un des miens qu'il veuille encor séduire ?
Qu'il joigne à ses efforts le secours des enfers :
Je suis maître de moi comme de l'univers.
Je le suis, je veux l'être. Ô siècles, ô mémoire,
Conservez à jamais ma dernière victoire !
Je triomphe aujourd'hui du plus juste courroux
De qui le souvenir puisse aller jusqu'à vous.
 Soyons amis, Cinna, c'est moi qui t'en convie.
Comme à mon ennemi je t'ai donné la vie.
Et, malgré la fureur de ton lâche dessein,
Je te la donne encor comme à mon assassin.
Commençons un combat qui montre par l'issue
Qui l'aura mieux de nous ou donnée ou reçue.
Tu trahis mes bienfaits, je les veux redoubler ;
Je t'en avais comblé, je t'en veux accabler.
Avec cette beauté que je t'avais donnée,
Reçois le consulat pour la prochaine année.
 Aime Cinna, ma fille, en cet illustre rang ;
Préfères-en la pourpre à celle de mon sang ;
Apprends sur mon exemple à vaincre ta colère.
Te rendant un époux, je te rends plus qu'un père

### ÉMILIE

Et je me rends, Seigneur, à ces hautes bontés,
Je recouvre la vue auprès de leurs clartés,
Je connais mon forfait qui me semblait justice,
Et, ce que n'avait pu la terreur du supplice,
Je sens naître en mon âme un repentir puissant,
Et mon cœur en secret me dit qu'il y consent.
 Le Ciel a résolu votre grandeur suprême,

Et pour preuve, Seigneur, je n'en veux que moi-même :
J'ose avec vanité me donner cet éclat,
Puisqu'il change mon cœur, qu'il veut changer l'État.
Ma haine va mourir, que j'ai crue immortelle ;
Elle est morte, et ce cœur devient sujet fidèle,
Et, prenant désormais cette haine en horreur,
L'ardeur de vous servir succède à sa fureur.

### CINNA

Seigneur, que vous dirai-je après que nos offenses
Au lieu de châtiments trouvent des récompenses ?
Ô vertu sans exemple ! ô clémence qui rend
Votre pouvoir plus juste et mon crime plus grand !

### AUGUSTE

Cesse d'en retarder un oubli magnanime,
Et tous deux avec moi faites grâce à Maxime.
Il nous a trahis tous, mais ce qu'il a commis
Vous conserve innocents et me rend mes amis.
*(A Maxime.)*

Reprends auprès de moi ta place accoutumée,
Rentre dans ton crédit et dans ta renommée ;
Qu'Euphorbe de tous trois ait sa grâce à son tour,
Et que demain l'hymen couronne leur amour.
Si tu l'aimes encor, ce sera ton supplice.

### MAXIME

Je n'en murmure point, il a trop de justice,
Et je suis plus confus, Seigneur, de vos bontés,
Que je ne suis jaloux du bien que vous m'ôtez.

### CINNA

Souffrez que ma vertu, dans mon cœur rappelée,
Vous consacre une foi lâchement violée,
Mais si ferme à présent, si loin de chanceler,
Que la chute du Ciel ne pourrait l'ébranler.

Puisse le grand moteur des belles destinées,
Pour prolonger vos jours, retrancher nos années,
Et moi, par un bonheur dont chacun soit jaloux,
Perdre pour vous cent fois ce que je tiens de vous !

### LIVIE

Ce n'est pas tout, Seigneur ; une céleste flamme
D'un rayon prophétique illumine mon âme ;
Oyez ce que les dieux vous font savoir par moi,
De votre heureux destin c'est l'immuable loi :
    Après cette action vous n'avez rien à craindre,
On portera le joug désormais sans se plaindre,
Et les plus indomptés, renversant leurs projets,
Mettront toute leur gloire à mourir vos sujets.
Aucun lâche dessein, aucune ingrate envie
N'attaquera le cours d'une si belle vie,
Jamais plus d'assassins, ni de conspirateurs :
Vous avez trouvé l'art d'être maître des cœurs.
Rome, avec une joie et sensible et profonde,
Se démet en vos mains de l'empire du monde ;
Vos royales vertus lui vont trop enseigner
Que son bonheur consiste à vous faire régner.
D'une si longue erreur pleinement affranchie,
Elle n'a plus de vœux que pour la monarchie,
Vous prépare déjà des temples, des autels,
Et le Ciel une place entre les immortels,
Et la postérité, dans toutes les provinces,
Donnera votre exemple aux plus généreux princes.

### AUGUSTE

J'en accepte l'augure, et j'ose l'espérer ;
Ainsi toujours les Dieux vous daignent inspirer !
    Qu'on redouble demain les heureux sacrifices,
Que nous leur offrirons sous de meilleurs auspices,
Et que vos conjurés entendent publier
Qu'Auguste a tout appris et veut tout oublier.

Milton Keynes UK
Ingram Content Group UK Ltd.
UKHW040632301023
431584UK00004B/254